Andrea Maria Wagner

Abenteuer im Schnee

Deutsch als Fremdsprache

Ernst Klett Sprachen
Stuttgart

Zu diesem Buch gibt es Audiodateien, die mit der Klett-Augmented-App geladen und abgespielt werden können.

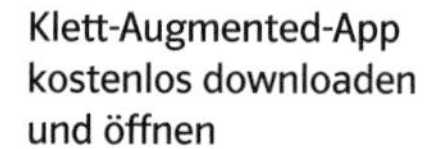

Klett-Augmented-App kostenlos downloaden und öffnen

Bilderkennung starten und **diese Seite** scannen

Medien laden, direkt nutzen oder speichern

1. Auflage 1 11 10 9 8 7 | 2022 21 20 19 18

Internetadresse: www.klett-sprachen.de

Redaktion: Jutta Klumpp-Stempfle
Layoutkonzeption: Elmar Feuerbach
Illustrationen: Ulf Grenzer, Berlin
Gestaltung und Satz: Eva Mokhlis; Swabianmedia, Stuttgart
Titelbild: Ulf Grenzer, Berlin
Druck und Bindung: Medienhaus Plump GmbH, Rheinbreitbach
Printed in Germany

Tonregie und Schnitt: Ton in Ton Medienhaus, Stuttgart
Sprecherin: Elena Jesse

ISBN 978-3-12-557012-2

Inhalt

Kostenloser Hörtext online:
Einfach QR-Code mit dem Smartphone scannen oder
x4n69b auf www.klett-sprachen.de eingeben.

N
W
O
S
Schleswig-
Holstein
Kiel
Mecklenburg-
Vorpommern
Schwerin
Hamburg
Hamburg
Bremen
Bremen
Niedersachsen
Hannover
Berlin
Berlin
Potsdam
Brandenburg
Magdeburg
Sachsen-Anhalt
Nordrhein-Westfalen
Düsseldorf
Sachsen
Dresden
Erfurt
Hessen
Thüringen
Rheinland-
Pfalz
Wiesbaden
Mainz
Saarland
Saarbrücken
Bayern
Stuttgart
Baden-
Württemberg
München

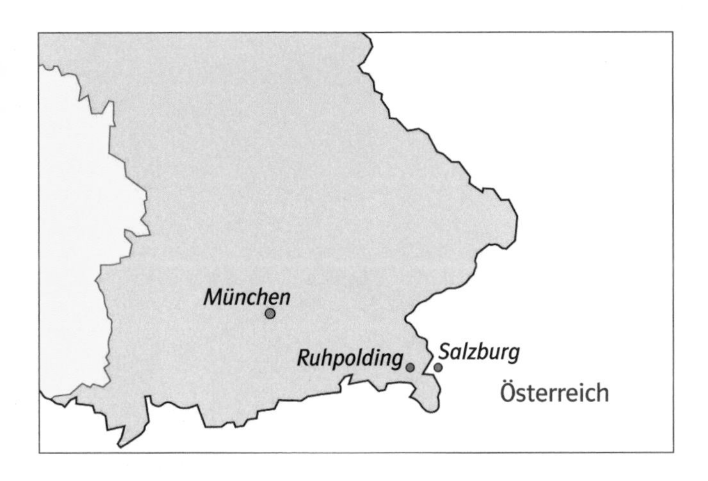

Bayern

- größtes Bundesland Deutschlands (über 70 Millionen km^2)
- ca. 12,5 Millionen Einwohner
- Landeshauptstadt: München
- Wirtschaft: Tourismus, Autos (BMW = Bayrische Motorenwerke)
- Tourismus: Skifahren, Bergwandern, Segeln, Schloss Neuschwanstein
- Spezialität: Weißwurst, Schweinebraten, Knödel, Bier

www.bayerntourismus.de

Ruhpolding

- ca. 6.400 Einwohner
- Berge (625 m – 1.961 m)
- Sport: Wintersport (Skifahren, Eisstockschießen, Eislaufen), Biathlon, Skispringen

www.ruhpolding.de

der Wald
die Bäume
der Skilift
die Skipiste

der Schnee
die Holzhütte
die Skifahrer
der Schneemann

1 Immer zu spät!

„Sonja, bist du fertig?", fragt Robert.
„Ja, ich komme gleich."
„Wir warten schon seit zehn Minuten! Komm endlich!"
Robert muss immer auf seine Schwester warten.

❄

Benno, Robert und Sonja sind in Bayern, in Ruhpolding. Benno ist mit seinen Eltern immer in den Winterferien hier. Die Geschwister Robert und Sonja sind mit ihren Eltern zum ersten Mal in Ruhpolding. Benno und Robert haben sich vor ein paar Tagen am Skilift kennen gelernt. Heute wollen sie zusammen Ski fahren. Das Wetter ist nicht gut. Es ist sehr kalt. Der Himmel ist grau und es schneit seit ein paar Tagen ohne Pause.

❄

„Endlich, Sonja! Immer bist du zu spät!", sagt Robert.
„Tut mir leid. Ich habe mit Oma telefoniert", sagt Sonja.
„Das macht nichts. Hallo, ich bin Benno."
„Hallo Benno, bist du schon lange hier in Ruhpolding?", fragt Sonja.
„Nein, erst seit ein paar Tagen."
„Und fährst du jeden Tag Ski?"
„Ja, klar! Aber hoffentlich können wir heute fahren." Benno schaut in den Himmel.
„Warum nicht?", will Sonja wissen.
„Es schneit so stark."
„Was ist denn jetzt? Wollt ihr Ski fahren oder ...?", fragt Robert.
„Ski fahren natürlich!", antwortet Benno. Sonja lacht.
„Dann los! Wer ist zuerst am Skilift?" Robert will nicht mehr warten.

2 Auf der Piste

Sie kommen am Skilift an. Es schneit sehr stark. Am Skilift gibt es eine Information:

Skilift 1 geöffnet
Skilift 2 geöffnet
Skilift 3 geöffnet
Skilift 4 geschlossen
Skilift 5 geschlossen

„Wie blöd!", sagt Robert.

„Kommt, wir gehen zu Lift 3. Dann können wir auf zwei Wegen nach unten fahren: auf der breiten Piste oder durch den Wald", sagt Benno.
„Ich bin für die breite Piste", meint Sonja. „Und ihr?"
„Ja, ich auch", antwortet Robert.
„Okay!", sagt auch Benno.
Sie kommen mit dem Skilift oben an und fahren los. Dann sind sie wieder unten. Heute sind nicht viele Leute auf der Piste.

3 Kalte Hände

Sie fahren noch ein paar Mal die breite Piste hinunter. Plötzlich sagt Sonja: „Meine Handschuhe sind weg!"
„Oh nein!", denkt ihr Bruder Robert.
„Wo können sie denn sein?", fragt Benno.
„Vielleicht liegen sie auf der Piste", meint Sonja.
„Auf der Piste …?", fragt ihr Bruder.
„Ich habe keine Ahnung. Aber meine Hände sind so kalt!"

„Hier Sonja, nimm meine Handschuhe", sagt Benno.
„Wie nett!", denkt Sonja und sagt schnell: „Danke."

„Was meint ihr? Sollen wir durch den Wald nach unten fahren und dann in Ruhpolding etwas essen?", fragt Robert.
„Super Idee! Ich hätte gerne eine heiße Suppe oder eine Weißwurst mit Brezel ...", sagt Sonja.
„O.K., dann los!", sagt Robert.

Sie gehen zum Lift. Aber sie sehen die neue Information nicht:

LAWINENGEFAHR!

Die Waldpiste ist gesperrt!

Sie fahren mit dem Lift nach oben.
„Wo beginnt die Piste?", will Sonja wissen.
„Kommt mit, ich kenne den Weg", sagt Benno.
Sie fahren los. Es schneit und schneit. Sie können nicht viel sehen.
Und plötzlich ist auch der Wind sehr stark.
„Nicht so schnell, Robert!", ruft Benno.
Aber Robert fährt schon los und hört ihn nicht mehr.
„Benno, warte mal! Ein Handschuh ist schon wieder weg", ruft Sonja.
„Ich helfe dir. Wir suchen den Handschuh zusammen."
„Danke Benno!"
Nach ein paar Minuten finden sie den Handschuh im Schnee.
„Benno, ich kann Robert nicht mehr sehen!" Sonja ist nervös.

4 Alles ist weiß!

Benno und Sonja fahren weiter. Sie können Robert nicht sehen. Plötzlich hören sie etwas.
„Was ist das, Benno?"
„Ich weiß es nicht. Aber wir müssen schnell weiterfahren."
Wieder hören sie etwas. Es ist so laut wie eine Explosion.
„Oh nein!", ruft Benno. „Eine Lawine! Schnell Sonja, wir müssen auf die andere Seite der Piste fahren. Da gibt es viele große Bäume. Da sind wir sicher, wenn die Lawine kommt. Schnell! Schnell!!!"

Sie fahren schnell auf die andere Seite. Sonja und Benno stellen sich hinter die großen Bäume.

❄

Es ist sehr laut und dunkel. Der Schnee kommt von allen Seiten. Die Lawine ist sehr schnell. Sonja hat große Angst. Dann ist es plötzlich ganz still. Die Lawine ist weg. Alles ist weiß!

„Wie siehst du denn aus?", sagt Sonja zu Benno. Benno ist ganz weiß. Der Schnee ist überall: auf seiner Jacke, in den Haaren …
„Und du? Du siehst auch aus wie ein Schneemann!", lacht Benno.
„Nein, wie eine Schneefrau! Aber das ist nicht wichtig. Hoffentlich geht es Robert gut!", sagt Sonja.
„Robert ist ein guter Skifahrer. Er ist sicher schon im Hotel und trinkt einen heißen Kakao", antwortet Benno.
„Einen heißen Kakao hätte ich jetzt auch gerne!", sagt Sonja.
„Ich auch", meint Benno. „Komm, wir fahren weiter."
Aber so einfach ist das nicht.
„Mist", denkt er. Zu Sonja sagt er laut: „Sonja, gehst du gerne spazieren?"
„Warum fragst du?", will sie wissen.
„Na ja, sieh dir mal die Piste an. Ski fahren können wir nicht mehr. Überall liegen große Steine und Bäume. Wir müssen zu Fuß zum Hotel gehen."
„Aber Benno, weißt du wie weit das ist?"
„Ja klar! Aber wir können nicht hier bleiben. Es wird bald dunkel."
„Und was machen wir mit den Skiern?", fragt Sonja.

„Wir stellen sie vor diesen Baum. Dann finden wir sie schnell wieder."
„Ja, gute Idee, Benno."

5 Wo ist das Handy?

Sie gehen zu Fuß durch den Schnee. Beide sind sehr sportlich, aber sie werden schnell müde.
„Benno, ich kann nicht mehr weitergehen!" Sonja weint fast.
„Komm Sonja, wir müssen weiter. Hier oben ist es zu gefährlich!"
„Benno ...!"
„Ja?"
„Benno, ich kann nicht mehr! Ich muss eine Pause machen."
„Gut, aber wir machen nur eine kurze Pause. Sag mal Sonja, hast du dein Handy dabei? Dann können wir im Hotel anrufen und sagen, wo wir sind."
„Mein Handy? Das ist im Hotel. Aber wo ist dein Handy?"
„Na ja, mein Handy ist auch im Hotel. Ich nehme es nicht mit, wenn ich Ski fahre. Ich finde es immer so blöd, wenn Leute Ski fahren und telefonieren: ‚Du, der Schnee ist super.' oder ‚Der Schnee ist hier ganz weiß.' … Aber jetzt hätte ich gerne mein Handy."

❄

„Wohin müssen wir gehen? Wo ist das Hotel?", fragt Sonja.
„Ich weiß es auch nicht."
„Ich möchte jetzt gerne im Hotel sitzen und etwas essen", sagt Sonja.
„Ich auch, aber wir haben nichts zu essen."
„Moment mal Benno … ich habe Schokolade!"
„Super! Ich liebe Schokolade!"

6 Wo ist der Weg?

Es ist kalt und der Wind ist sehr stark. Es schneit und schneit …
„Benno, warum sehen wir das Hotel noch nicht?"
„Ach, Sonja. Ich weiß auch nicht mehr, wo wir sind!"

Sie gehen weiter, machen eine kurze Pause, gehen weiter …
„Benno, warte! Ich kann nicht mehr!" Sonja weint fast.

„Sonja, wir müssen weitergehen! Komm!"
„Aber ich kann nicht mehr!"
„Komm, Sonja. Wir gehen zu den großen Bäumen da hinten. Da ist der Schnee nicht so hoch. Und der Wind ist auch nicht so stark. Du machst eine kurze Pause und ich suche den Weg."
„Nein, Benno. Bitte lass mich nicht allein!"
„Ich gehe nur ein paar Meter weiter."
„Nein, Benno. Bitte, geh nicht! Ich habe Angst!", sagt Sonja jetzt sehr laut.
„Gut, wir gehen zusammen weiter."

7 Wo ist der Schlüssel?

„Benno, was ist das da hinten?"
„Wo denn?"
„Na, da hinten!"
„Ich sehe nichts, nur Schnee", sagt Benno.
„Ich glaube, das ist ein Haus. Vielleicht ist es ja ein Restaurant, und es gibt Kakao oder Tee ...!"

„Ach, Sonja. Im Winter sind Cafés im Wald geschlossen."
„Komm, Benno! Wir gehen hin!"

❄

Sie gehen weiter ... Es ist kein Restaurant, es ist eine kleine Holzhütte. Benno will die Tür öffnen, aber es geht nicht.

„Hast du vielleicht einen Schlüssel?", fragt Benno und lacht.
„Ja, klar! Hier ist mein Zimmerschlüssel vom Hotel."
„Sehr lustig! Aber vielleicht können wir die Tür so öffnen?"
„Benno, das dürfen wir nicht! Das ist nicht unsere Hütte."
„Aber das ist ein Notfall, Sonja. Wir dürfen die Tür öffnen. In der Hütte ist es warm. Komm, hilf mir!"

❄

Benno und Sonja drücken mit viel Kraft gegen die Tür. Aber die Tür geht nicht auf. Dann hat Sonja eine Idee.
„Vielleicht liegt hier ja ein Schlüssel!"
„Wie kommst du auf die Idee?", fragt Benno.
„Weißt du, meine Oma hat einen kleinen Garten. In diesem Garten gibt es auch eine kleine Holzhütte. Ein Schlüssel ist immer da."
„Und wo?"

„Zwischen den Blumen neben der Tür", sagt Sonja.
„Aber im Winter gibt es keine Blumen."
„Los, Benno! Wir suchen den Schlüssel."

❄

„Benno, sieh mal, was ich habe!", sagt Sonja stolz.
„Einen Hammer! Damit können wir die Tür öffnen."
„Dann sieh mal, was ich hier habe! Einen Schlüssel!"
Benno lacht.

8 In der Hütte

Benno will die Tür öffnen. Aber seine Hände sind zu kalt. Der Schlüssel fällt immer wieder in den Schnee.
„Gib mir mal den Schlüssel", sagt Sonja. Ihre Hände sind nicht so kalt. Sie hat ja die Handschuhe von Benno.
„Er passt! Benno, der Schlüssel passt!"
Sie öffnen die Tür. Es ist sehr dunkel. Sie können fast nichts sehen. Sie gehen langsam in die Hütte.

„Benno, rauchst du?", fragt Sonja plötzlich.
„Warum fragst du das? Natürlich nicht! Ich bin Nichtraucher."
„Schade", sagt Sonja leise.
„Warum? Findest du Raucher gut? Oder rauchst du?", will Benno wissen. Er versteht Sonja nicht.
„Nein, natürlich nicht. Ich rauche auch nicht."
„Warum fragst du dann, Sonja?"
„Na ja, Raucher haben doch immer Streichhölzer."
„Ja, stimmt", sagt Benno und denkt: „Sie hat so gute Ideen! Ein tolles Mädchen!"
„Sonja, ich habe keine Streichhölzer, aber ich habe etwas anderes."
Er nimmt eine kleine Taschenlampe aus seiner Jacke.
„Na, wie findest du das?", fragt Benno.
„Fantastisch!"

Benno schaltet die Taschenlampe ein. Es gibt einen Tisch, vier Stühle …

„Benno, sieh mal, ein Kamin! Wir können ein Feuer machen."
„Aber ohne Streichhölzer?"
„Ach Benno, meine Oma hat immer Streichhölzer neben dem Kamin."
„Na, dann müssen wir suchen", meint Benno.
„Sieh mal, hier sind Streichhölzer!", ruft Sonja kurze Zeit später.

❄

Im Kamin liegt Holz. Es gibt auch ein paar alte Zeitungen.
Sonja legt das Papier unter das Holz.
„Du kannst ja Feuer machen!", sagt Benno überrascht.
„Das ist doch kein Problem."
„Sie kann Feuer machen, sie ist sportlich ... Sie ist sehr nett!", denkt Benno.

9 Wo ist Robert?

Benno und Sonja sitzen vor dem Kamin.
„Vielleicht gibt es auch etwas zu essen!", meint Sonja.
„Ich hätte gerne eine Suppe und einen Tee!", sagt Benno und lacht.
Sonja lacht auch. Sie steht auf und sucht.
„Na, findest du etwas zu essen?", fragt Benno.
„Nein, leider nicht. Aber es gibt zwei Wolldecken."
„Wolldecken … interessant!", lacht Benno. „Sonja, du kannst die Wolldecken nehmen. Deine Skijacke ist bestimmt ganz nass. Du kannst sie vor den Kamin legen, dann trocknet sie schnell."
„Benno ist sehr nett", denkt sie.
Sie sagt laut: „Ach Quatsch, Benno. Deine Jacke ist auch nass. Ich habe schon deine Handschuhe. Ich nehme nur eine Wolldecke."

❄

Sie sitzen zusammen vor dem Feuer. Es ist warm.
Sonja denkt wieder an ihren Bruder Robert. „Benno, glaubst du wirklich, dass Robert im Hotel ist?", fragt sie leise.
„Ja, er fährt sehr schnell und sehr gut Ski."
„Aber die Lawine ist auch sehr schnell."
„Stimmt, Sonja. Aber Robert ist sicher schon im Hotel. Mach dir keine Sorgen."

❄

„Du, Benno?"
„Ja?"
„Wie lange müssen wir in der Hütte bleiben?"

„Na ja, sicher bis morgen früh", antwortet Benno.
„Dann müssen wir ja die ganze Nacht hier bleiben!"
Sonja hat ein bisschen Angst.
„Wir sind ja nicht alleine, Sonja. Ich bin hier und du bist hier. Wir sitzen zusammen vor dem warmen Feuer."
Sonja nickt. „Du hast Recht, Benno."
„Er ist so nett", denkt Sonja.

10 Ferien in Ruhpolding

„Du, Benno, warst du schon oft in Ruhpolding?", fragt Sonja.
„Ja, ich bin immer im Winter hier. Und du?"
„Ich bin zum ersten Mal hier. Ich kenne nur die Skipisten und das Hotel", sagt Sonja.
„Ruhpolding ist wirklich sehr schön. Du kannst Eis laufen …"
Benno erzählt ihr noch mehr von Ruhpolding.
„Hier gibt es ein großes Trainingszentrum für Biathlon und Skispringen. Im Winter gibt es hier Weltmeisterschaften. Dann kommen die besten Sportler aus der ganzen Welt und zeigen, wie weit sie springen können."
„Ja, das habe ich schon im Fernsehen gesehen", meint Sonja.

11 Was ist das?

Sonja und Benno sitzen still vor dem Kamin. Plötzlich hört Sonja etwas.
„Benno?"
„Ja?"
„Hörst du das nicht? Ich glaube, das ist ein Wolf!"
„Ein Wolf? Aber Sonja, in Bayern gibt es keine Wölfe."
„Doch natürlich!"
„Aber nicht hier in Ruhpolding!"
„Benno, hör doch mal!"
Jetzt hört Benno auch etwas. Er steht auf und geht zur Tür.

„Das ist nur der Wind", sagt er. Er möchte nicht, dass Sonja Angst hat.
„Benno, das ist nicht der Wind! Das sind Wölfe! Benno, ich habe Angst."
„Sonja, in der Hütte sind wir sicher."

12 Endlich Hilfe!

„Halloooo! Benno! Sonja! Seid ihr hier?"
Es sind keine Wölfe!
Benno öffnet die Tür und ruft laut: „Hier sind wir. In der Hütte!"
Und dann sehen sie Licht ... und drei Männer.
„Geht es euch gut?", fragt einer der Männer.
„Ja, danke", antwortet Benno.
„Habt ihr die Lawine gesehen?"
„Ja, klar!"
„Wissen Sie, wo mein Bruder ist? Ist Robert im Hotel?", fragt Sonja.
„Ja! Es geht ihm gut."

„Ein Glück! Robert ist im Hotel." Sonja ist so froh.
„Wir müssen die anderen schnell informieren. Viele Menschen suchen euch", sagt ein anderer Mann.

„Zentrale – bitte hören!"
„Hier Zentrale. Zentrale hört."
„Hier Sandmeier. Die beiden sind in der Holzhütte."
„Sollen wir einen Notarzt schicken?"
„Nein, das ist nicht nötig. Es geht ihnen gut. Wir bringen sie mit dem Jeep ins Hotel."
„Danke. Wir informieren die Eltern. Ende."
„Danke. Ende", sagt Herr Sandmeier.

Die Männer gehen mit Benno und Sonja in die Hütte.
„So, jetzt nehmt eure Jacken. Wir müssen das Feuer ausmachen. Dann bringen wir euch ins Hotel zurück", sagt Herr Sandmeier.
Die Männer schließen die Tür.
„Wo war der Schlüssel?", fragt ein Mann.
„Hier, neben der Tür", antwortet Benno.
„Der Schlüssel ist für Skifahrer in Not", sagt einer der Männer und legt den Schlüssel zurück.
Die Männer gehen mit Sonja und Benno durch den Schnee.
„Da hinten gibt es eine kleine Straße. Da steht auch unser Jeep", sagt Herr Sandmeier.

13 Wieder im Hotel

Im Hotel warten schon Bennos und Sonjas Eltern. Sie sind glücklich, dass alle wieder im Hotel sind.
„Ich habe euch gar nicht mehr gesehen!“, sagt Robert.
„Und wo warst du? Wir fahren doch immer zusammen!“, sagt Sonja.
„Jetzt ist ja alles gut und wir sind alle wieder hier“, meint Benno.
Benno und Sonja wollen nur noch etwas Warmes trinken und dann schlafen gehen.
„Du, Sonja …“, beginnt Benno.

„Ja, Benno?"
„Danke."
„Danke? Wofür?", fragt Sonja.
„Na, für die Schokolade!"
Sonja lacht und sagt: „Gute Nacht. Schlaf gut!"
„Du auch, Sonja. Und morgen holen wir die Skier. O.K.?", sagt Benno.

Am nächsten Tag ist das Wetter besser, aber es schneit immer noch. Sie können ihre Skier nicht holen.
„Benno, was machen wir jetzt?", fragt Sonja.
„Vielleicht können wir unsere Skier morgen holen …", sagt Benno, „… oder in den nächsten Tagen …"
„… oder im nächsten Winter. Wir kommen auch wieder nach Ruhpolding!", sagt Sonja und lacht.

QUIZ

Nur eine Antwort ist richtig!

1

- A Bayern liegt in Österreich.
- B Bayern liegt in Norddeutschland.
- C Bayern liegt in Süddeutschland.

2

- A In Ruhpolding gibt es keine Skipiste.
- B In Ruhpolding gibt es ein großes Trainingszentrum für Biathlon.
- C Ruhpolding ist die Hauptstadt von Bayern.

3

- A Sonja und Benno essen Schokolade.
- B Sonja und Benno essen eine heiße Suppe.
- C Sonja und Benno essen eine Weißwurst.

4

- A Das Wetter ist sehr gut. Die Sonne scheint.
- B Das Wetter ist nicht gut. Es regnet.
- C Das Wetter ist schlecht. Es schneit sehr stark.

Lösung: 1C 2B 3A 4C

Bildquellen
Fotolia LLC (HLPhoto), New York, Seite 13, Seite 31.Vordergrund; Fotolia LLC (tm-pictures.ch), New York, Seite 3, Seite 14; shutterstock (Elena Elisseeva), New York, NY, Seite 10, Seite 31.Hintergrund; shutterstock (Jonathan Larsen), New York, NY, Seite 25; Ullstein Bild GmbH (Specialpress), Berlin, Seite 8

Weitere Hefte in der Reihe:

Gefahr am Strand

Unheimliches im Wald

Blinder Passagier

Spannende Tour im Schwarzwald

Der Schatz von Hiddensee

Wilde Pferde im Münsterland

Dramatische Szenen in Weimar